Die besten Bücher mit Denksportaufgaben für Kinder

(Dr. Jekyll und Mr. Hyde's Geheimcodebuch)

Hilf Dr. Jekyll, das Gegenmittel zu finden. Löse mit Hilfe der mitgelieferten Karte die kryptischen Hinweise, überwinde zahlreiche Hindernisse und finde das Gegenmittel.

Dr. Jekyll und Mr. Hyde

Dr. Heinrich Jekyll beobachtete gerade das Verhalten einer seiner superbegabten Ratten, als er nach seinem Kaffee griff. Kaum hatte er einen Schluck getrunken, wurde ihm klar, dass etwas nicht stimmte. Die Schmerzen in seinem Kopf waren unerträglich, seine Sicht war verschwommen, und er bekam Schaum vorm Mund. Dr. Jekyll zog seine Krawatte aus und öffnete sein Hemd. Innerhalb einer Minute wurde alles dunkel um ihn herum.

Als er zu sich kam, lag Dr. Jekyll auf dem Boden. Sein Labor sah aus, als wäre es von einem Erdbeben getroffen worden, und der Geruch von Chemikalien war überwältigend. Praktisch alles, was nicht befestigt war, schien kaputt zu sein, einschließlich seines Telefons.

Dr. Jekyll sah seinen Assistenten George bewusstlos auf dem Boden liegen und überprüfte seinen Puls. Georges Puls war regelmäßig. Er nahm Georges Handy aus der Tasche und öffnete es mit Georges Finger. Dr. Jekyll war gerade dabei, die Polizei zu rufen, als eine Nachricht kam. Es war von einem gegnerischen Forscher namens Dr. Jake Jones. "Hi George, ist alles nach Plan gelaufen?"

Du kannst herausfinden, wo Dr. Jekyll ist, indem du dem Hinweis auf der Rückseite folgst und die Karte verwendest.

*Eine Kopie der Karte befindet sich auf der Rückseite dieses Buches.

KNACKE DEN CODE
UM JEKYLL UND HYDE ZU HELFEN DEN TRANK ZU FINDEN

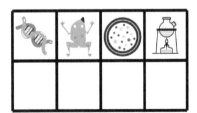

Dr. Jekyll wollte unbedingt wissen, wie George ihn so verraten konnte?

Wieder bekam Dr. Jekyll einen Blackout.

KNACKE DEN CODE

UM JEKYLL UND HYDE ZU HELFEN DEN TRANK ZU FINDEN

Dr. Jekyll wachte auf und lag auf dem Rasen in der Mitte eines Fußballstadions.

Das Stadion sah aus wie ein Schlachtplatz mit kaputten Sportgeräten, die in alle Richtungen herumlagen.

George muss meinen Forschungstrunk in meinen Kaffee getan haben", murmelte Dr. Jekyll vor sich hin. "Wenn ich das Gegenmittel innerhalb von 24 Stunden bekomme, ist es vollständig umkehrbar."

KNACKE DEN CODE

UM JEKYLL UND HYDE ZU HELFEN DEN TRANK ZU FINDEN

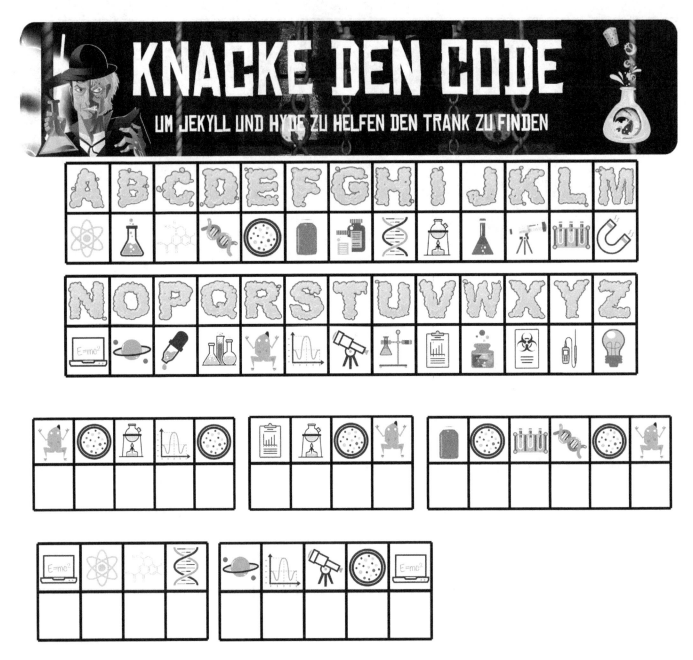

Dr. Jekyll machte sich schnell auf den Weg zu einem Safe, in dem er sein Gegenmittel aufbewahrte. „Alles wird gut", sagte er sich, als er seinen Safe öffnete. "Ich nehme das Gegenmittel." Dr. Jekylls Gesicht wurde kreideweiß, als er in seinen Safe schaute. Es war leer. Sein Gegenmittel und seine wichtigen Forschungsarbeiten waren weg. „Dr. Jones muss die Zeit genutzt haben, als ihm klar war, dass ich außer Gefecht gesetzt war, um Zugang zu meinem Safe zu erhalten und meine Forschungsarbeiten zu stehlen. „Ich brauche etwas, um ruhig zu bleiben", sagte Dr. Jekyll zu sich selbst.

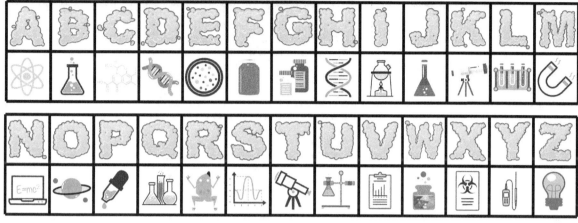

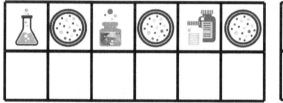

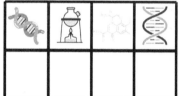

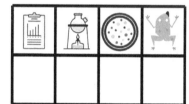

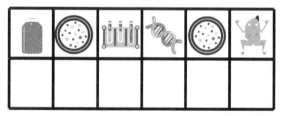

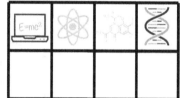

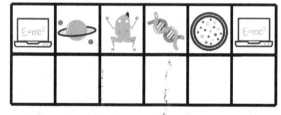

In der Apotheke angekommen, schluckte Dr. Jekyll mehrere Beruhigungsmittel, um sich zu beruhigen. Er murmelte vor sich hin: "Ich werde meinen Freund Mike finden. Er wird mir helfen können."

KNACKE DEN CODE

UM JEKYLL UND HYDE ZU HELFEN DEN TRANK ZU FINDEN

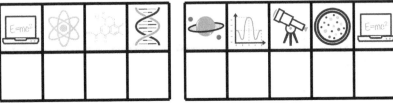

„Ich bin hier, um Dr. Mike Ruben zu treffen", sagte Dr. Jekyll, als er sich an die Empfangsdame im Bürogebäude wandte.

„Versuchen Sie es in der Bibliothek", sagte die Dame an der Rezeption. "Er ist dort praktisch zu Hause."

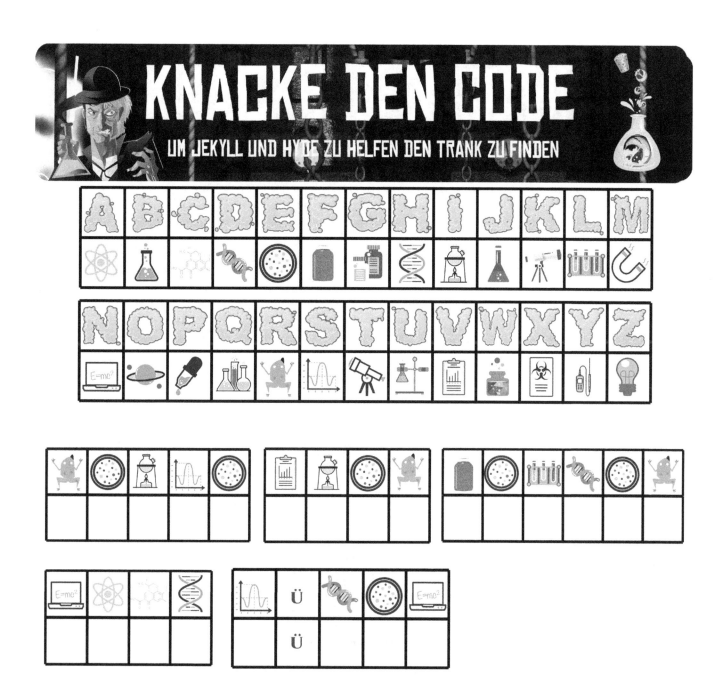

KNACKE DEN CODE

UM JEKYLL UND HYDE ZU HELFEN DEN TRANK ZU FINDEN

Dr. Jekyll entdeckte Mike mit seinem Kopf in einem Buch versunken.

„Ich bin so froh, dich zu sehen, Mike. Etwas Schreckliches ist passiert! Du musst ein Gegenmittel für mich finden. Ich weiß, wer es hat. Dr. Jones hat es zusammen mit meinen Forschungsarbeiten gestohlen. Ich bin nicht sicher. Ich denke, ich muss eingesperrt werden!"

"Was meinst du, Heinrich?" antwortete Mike.

„Ich habe einige meiner genetischen Wirkstoffe verschluckt. Wenn ich das Gegenmittel nicht bekomme, stecke ich in großen Schwierigkeiten. Ich werde mich immer wieder in ein Monster verwandeln, und ich werde es nicht mehr rückgängig machen können. Ich muss zur Polizei gehen", sagte Dr. Jekyll und verhüllte sein Gesicht mit den Händen.

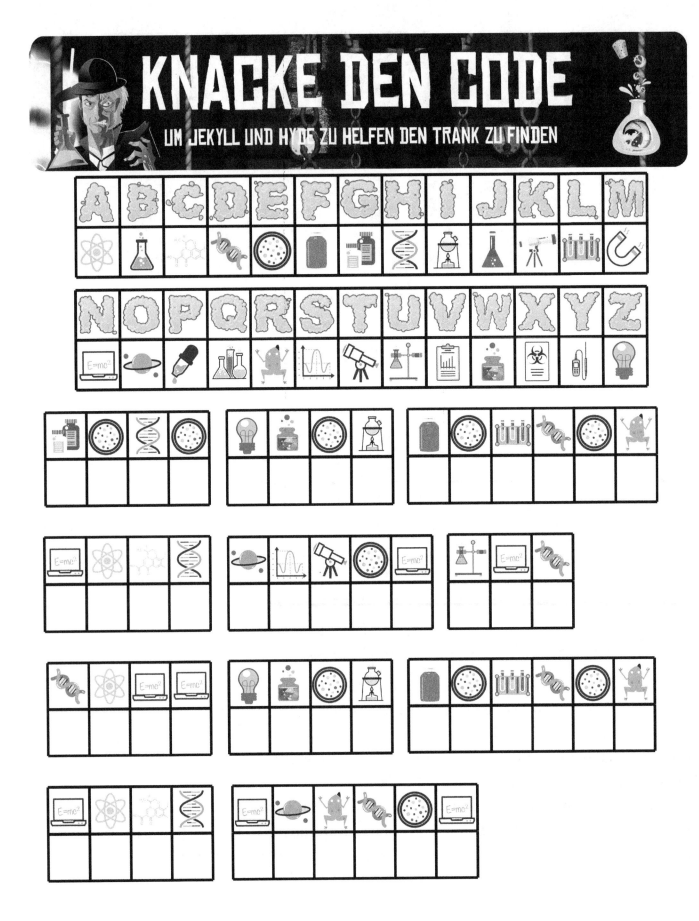

Nachdem sie die Polizeistation verlassen hatten, dachten Dr. Jekyll und Mike darüber nach, wo Dr. Jones hingegangen sein könnte. Mike fuhr los.

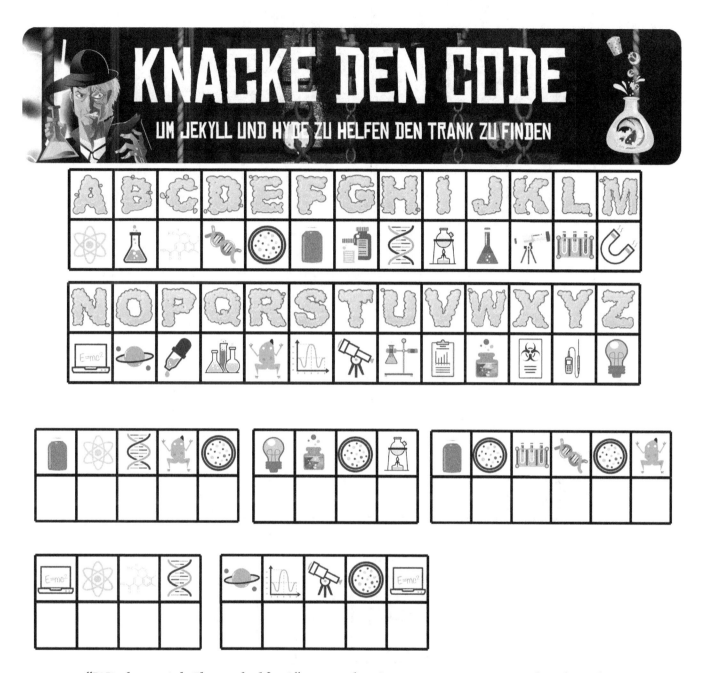

"Wie kann ich Ihnen helfen?", sagte der Sergeant an seinem Schreibtisch.

„Hören Sie, Sie werden es sicher nicht glauben, aber ich bin ein gefährlicher Mann, und Sie müssen mich einsperren", sagte Dr. Jekyll besorgt.

„Ich finde nicht, dass Sie gefährlich aussehen", antwortete der Sergeant. "Was haben Sie denn angestellt?"

„Ich weiß es nicht; ich kann mich leider nicht erinnern", sagte Dr. Jekyll.

„Sie brauchen einen Psychiater, Sir, nicht die Polizei! Es tut mir wirklich leid, aber ich kann Ihnen nicht helfen. Ich habe viel zu tun", sagte der Sergeant, als er sein Notizbuch schloss und sich abwandte.

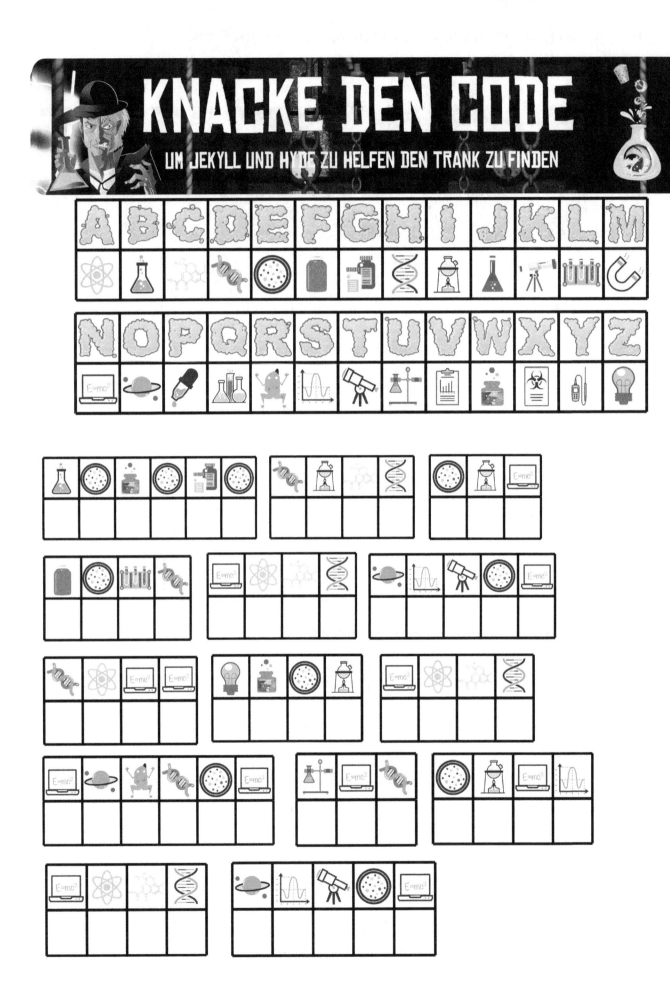

KNACKE DEN CODE

UM JEKYLL UND HYDE ZU HELFEN DEN TRANK ZU FINDEN

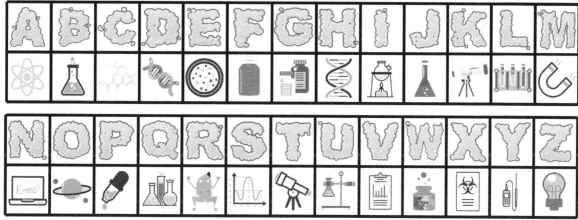

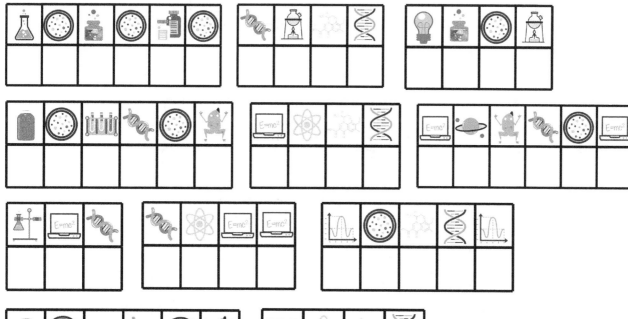

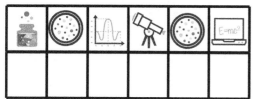

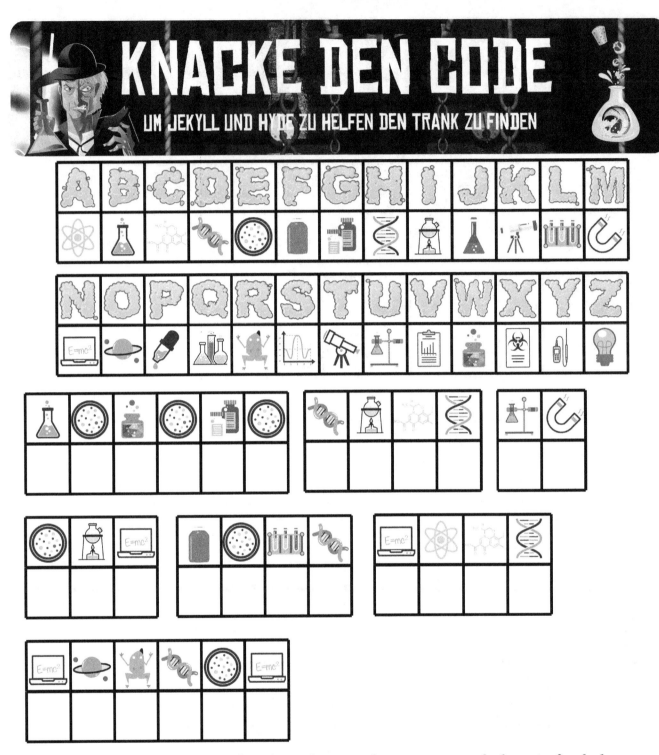

Sie erreichten das zweite Gebäude und gingen hinein, um nach dem Aufenthaltsort von Dr. Jones zu fragen.

„Aus Gründen der Geheimhaltungspflicht kann ich keine Details über Personen preisgeben, die hier arbeiten", sagte die Wache streng.

„Bitte, ich brauche Ihre Hilfe", sagte Dr. Jekyll. "Mein Leben hängt davon ab."

„Das ist nicht mein Problem", sagte der Wächter, während er Dr. Jekyll aus dem Gebäude schob.

In diesem Moment wurde es für Dr. Jekyll wieder dunkel.

KNACKE DEN CODE

UM JEKYLL UND HYDE ZU HELFEN DEN TRANK ZU FINDEN

Sergeant Johnson saß in seinem Fahrzeug, als er die Kreatur sah, die an seinem Auto vorbeirannte. Er griff nach seinem Funkgerät.

„Station, bitte kommen! Ich habe gerade eine riesige Kreatur gesehen, die wie eine Eidechse aussieht. Sie hat weißes Haar; sie hat Schaum vor dem Mund, läuft mit offenen Armen herum und sieht geistesgestört aus.... Oh, und sie scheint einen Anzug zu tragen.

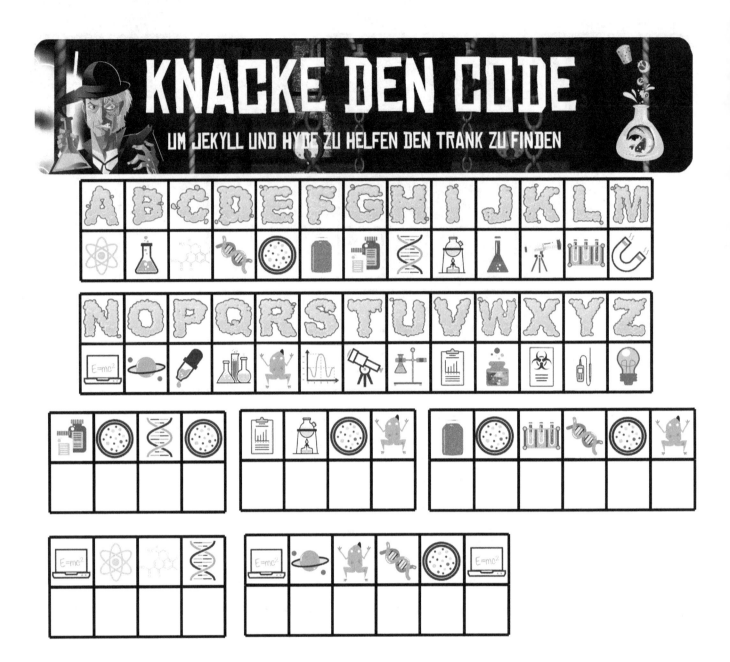

Sergeant Johnson folgte dem seltsamen Wesen in seinem Auto. Das war schwierig, da das Wesen über Felder, über Hecken und durch Flüsse lief.

„Station, bitte melden! Es sieht so aus, als würde das Wesen nach etwas suchen. Ich kann die Routen, die es läuft, nicht fahren und ich kann zu Fuß nicht mit ihm mithalten. Es ist zu schnell."

KNACKE DEN CODE

UM JEKYLL UND HYDE ZU HELFEN DEN TRANK ZU FINDEN

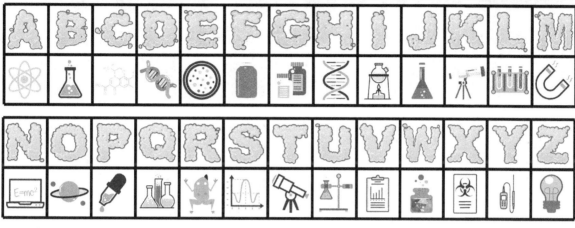

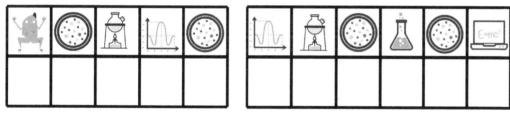

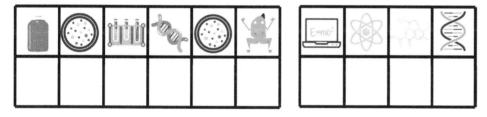

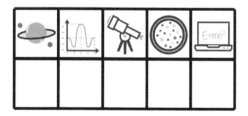

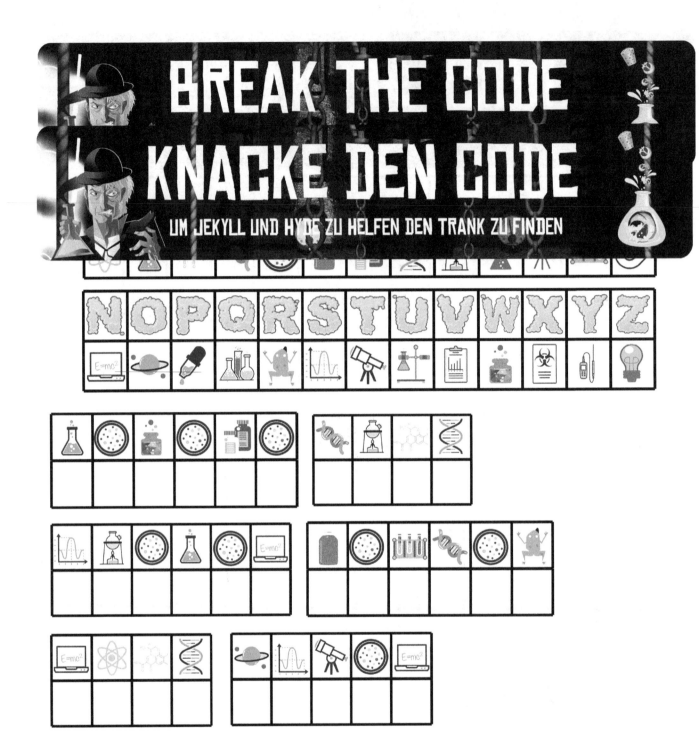

Dr. Jekyll wachte auf und saß auf einem Stuhl im Haus seines Therapeuten.

"Wie bin ich hierhergekommen?" fragte Dr. Jekyll

„Ich fand Sie sitzend vor meiner Tür vor", sagte Dr. Gunters. "Ich habe Ihnen neue Kleider gegeben, weil Sie schlimm aussahen."!!°

„Ich sollte Ihnen besser sagen, was passiert ist", sagte Dr. Jekyll. Er atmete tief, bevor er seinem Therapeuten für die nächsten zehn Minuten die ganze Situation erklärte.

„Ich verstehe", sagte Dr. Gunters, nachdem Dr. Jeckyl das Gespräch beendet hatte. "Die Kreatur scheint ein Teil von Ihnen zu sein, und sie ist auf Ihrerr Seite."

"Wie kann das sein?," fragte Dr. Jekyll.

„Nun, irgendwie hat es es geschafft, Sie hierher zu bringen, nicht wahr?", antwortete Dr. Gunters.

„Ich vermute schon", sagte Dr. Jekyll zögernd.

„Außerdem scheint es aktiv zu werden, wenn man in irgendeiner Weise bedroht wird", sagte Dr. Gunters.

„Ja. Das ist wahr", antwortete Dr. Jekyll zustimmend.

„Wir alle haben ein Wesen in uns. Vielleicht nicht so extrem wie in Ihrem Fall, aber wir können alle von ihm beherrscht werden. Bei einigen von uns passiert es selten, bei anderen passiert es oft. Ich erkläre Ihnen, was ich meine.

Vor langer Zeit habe ich sehr hart für meine Doktorarbeit gearbeitet, und ich habe meiner Frau Agneta, die damals meine Verlobte war, versprochen, dass ich eines Abends mit ihr in einem Restaurant essen würde. Wie auch immer, um es kurz zu machen, ich habe die Zeit vergessen. Ich war so sehr in meine Forschung vertieft, dass ich unsere Verabredung völlig vergessen hatte.

Agneta kam in mein Büro, schrie mich an und erzählte mir, wie peinlich es war, dass sie ganz allein im Restaurant saß. Sie wurde so wütend, dass sie ihren Verlobungsring abnahm und ihn nach mir warf. Der Ring verfehlte mich und flog hinter mir aus dem Fenster. Nun, das wäre kein so großes Problem gewesen, abgesehen von der Tatsache, dass wir uns im zwölften Stock befanden. Wir suchten stundenlang nach dem Ring, aber wir konnten ihn nie finden.

Was ich damit sagen möchte ist, dass Agneta komplett von irgendetwas in ihr in Beschlag genommen wurde. Was auch immer sie ereilte, es war auf ihrer Seite und verteidigte sie, aber es dachte nicht an die Konsequenzen", sagte Dr. Gunters.

„Und was soll ich nun tun?" fragte Dr. Jekyll.

„Gehen Sie eine Beziehung mit der Kreatur in Ihnen ein. Wenn Sie eine Beziehung zu ihr aufbauen, können Sie vielleicht verhindern, dass sie Sie überwältigt. Man könnte damit beginnen, ihr einen Namen zu geben", schlug Dr. Gunters vor.

„Ich nenne sie Mr. Hyde nach meinem alten Chemielehrer. Er hatte ein extremes Problem, seien Wut in den Griff zu bekommen", kicherte Dr. Jekyll und schüttelte den Kopf, als er an Herrn Hyde dachte.

„Das ist ein guter Anfang", sagte Dr. Gunters. Nach dem, was Sie mir gesagt haben, wird die Polizei Ihnen wahrscheinlich nicht rechtzeitig helfen können. Lassen Sie uns Ihren Freund Mike anrufen und sehen, ob er Sie abholen kann."

Zehn Minuten später kam Mike bei Dr. Gunters zu Hause an.

"Schön, dich zu sehen, Mike", sagte Dr. Jekyll.

„Schön, auch dich zu sehen", antwortete Mike mit einem breiten Lächeln, "Die Art und Weise, wie du dich in diese Kreatur verwandelt hast, war unglaublich. Bitte erinnere mich daran, dass ich nie in die falsche Richtung gehen darf! ... ... Übrigens habe ich etwas recherchiert, und es gibt nur ein paar Orte, an denen Dr. Jones sein könnte. Ich denke, es wäre viel sicherer, wenn ich dorthin gehe und darum bitte, ihn zu sehen. Du könntest im Kofferraum meines Autos versteckt bleiben."

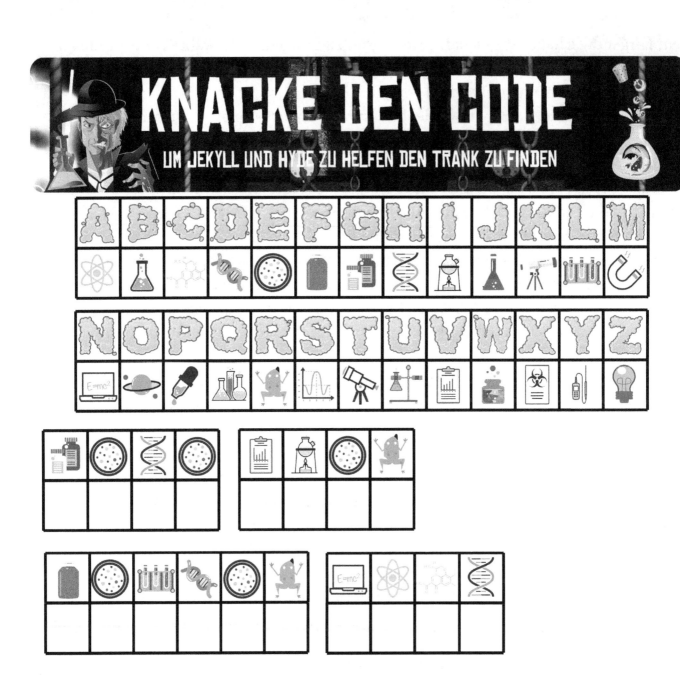

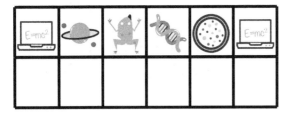

KNACKE DEN CODE

UM JEKYLL UND HYDE ZU HELFEN DEN TRANK ZU FINDEN

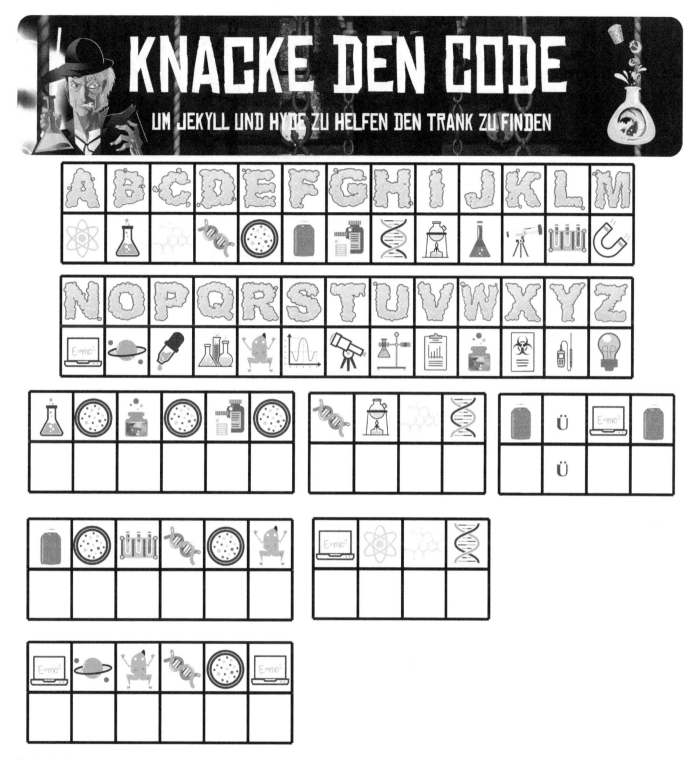

"Ich habe gute Nachrichten, Heinrich!", sagte Mike, als er zum Auto zurückkehrte. „Die Empfangsdame sagte, dass sie Dr. Jones früher gesehen habe, und er ist wohl zu einem Meeting bei einer Firma namens Cytobiomedica gereist. Ich weiß, wo sie ist. Lass uns losfahren."

KNACKE DEN CODE

UM JEKYLL UND HYDE ZU HELFEN DEN TRANK ZU FINDEN

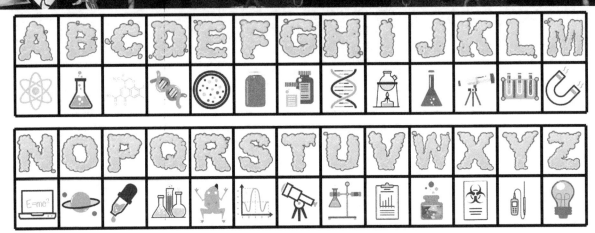

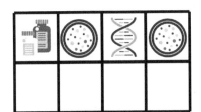

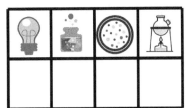

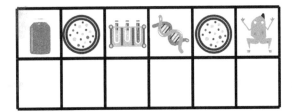

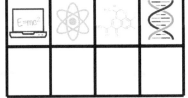

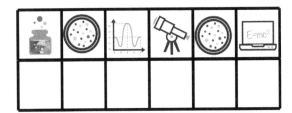

KNACKE DEN CODE

UM JEKYLL UND HYDE ZU HELFEN DEN TRANK ZU FINDEN

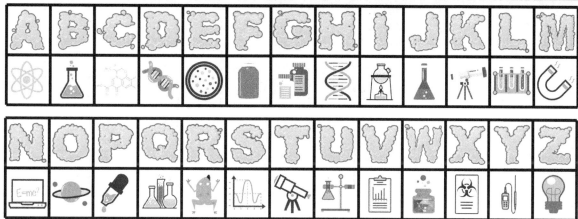

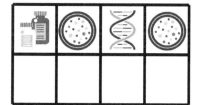

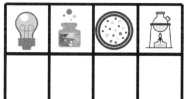

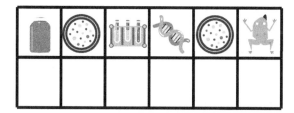

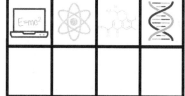

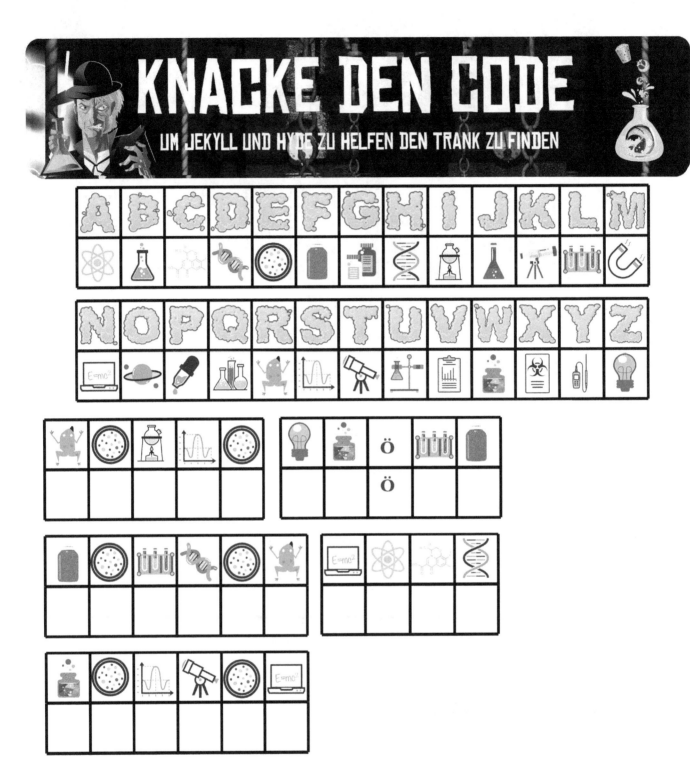

KNACKE DEN CODE
UM JEKYLL UND HYDE ZU HELFEN DEN TRANK ZU FINDEN

Dr. Jekyll spürte, dass es ihm mulmig wurde, als sie näher an Cytobiomedica heranfuhren.

„Es ist in Ordnung. Ich weiß, dass du mir helfen willst. Du kannst bei mir bleiben, und wenn ich dich brauche, werde ich dich besuchen", murmelte Dr. Jekyll.

"Redest du mit mir?", fragte Mike

„Oh, tut mir leid, nein", sagte Dr. Jekyll. "Ich rede nur mit mir selbst."

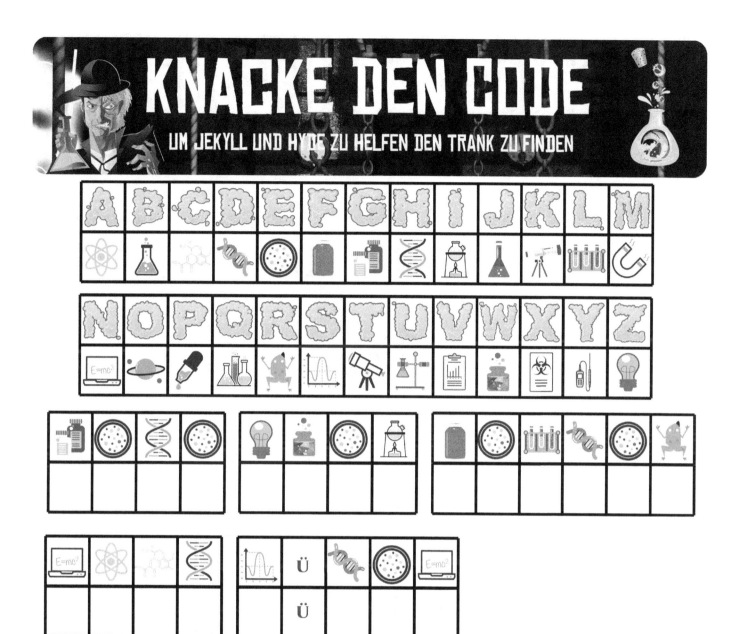

Mike ging zuerst in das Gebäude. Innerhalb weniger Minuten sah Dr. Jekyll, wie Mike ihm zuwinkten und leise die Worte "Er ist im Gebäude" sprach.

Als Dr. Jekyll aus dem Auto stieg, fühlte er ein Gefühl des Unbehagens. Bald war er im Gebäude.

Als Dr. Jones Dr. Jekyll entdeckte, rannte Dr. Jones los.

Dr. Jekyll und Mike verfolgten ihn.

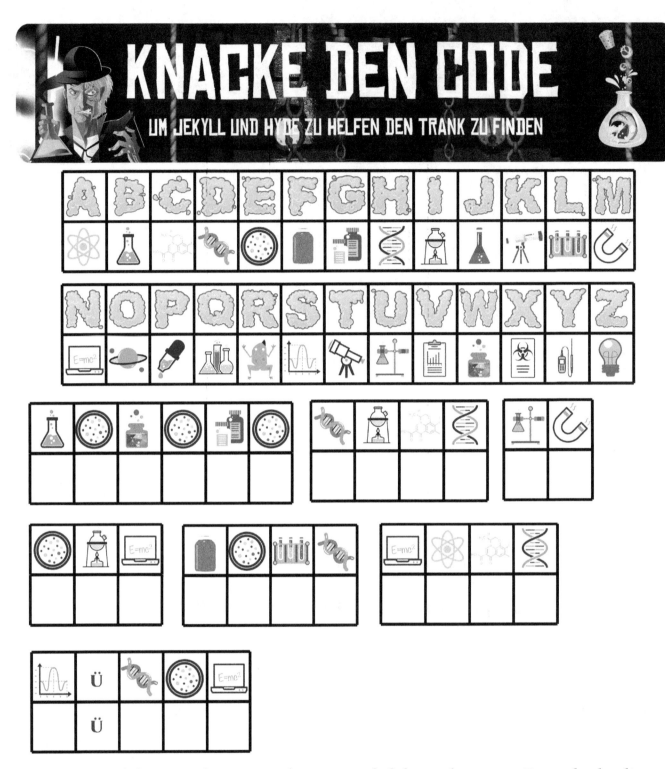

Dr. Jones sah hinter sich. Was er sah, war ziemlich bemerkenswert. Er wechselte die Positionen von Sekunde zu Sekunde, er sah das Gesicht eines Mannes und das Gesicht eines eidechsenartigen Monsters.

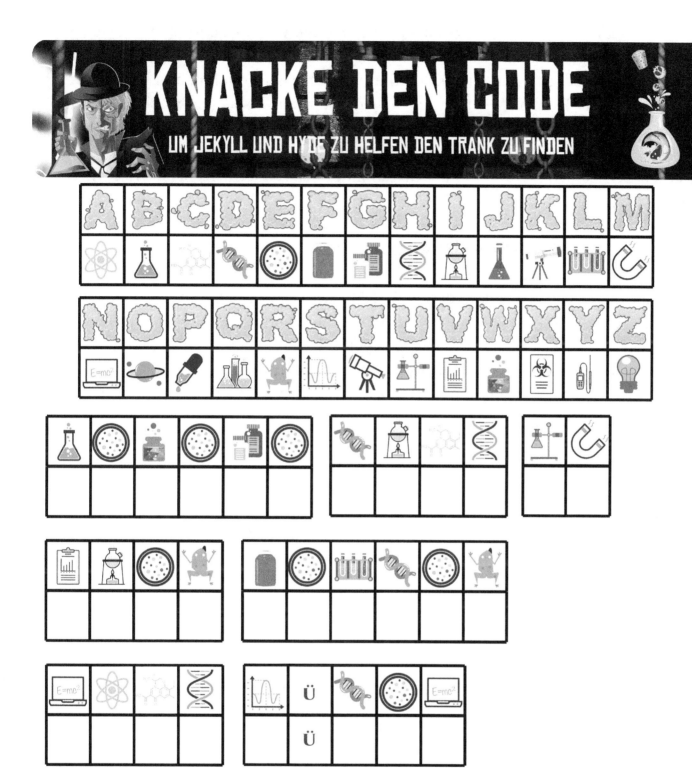

KNACKE DEN CODE
UM JEKYLL UND HYDE ZU HELFEN DEN TRANK ZU FINDEN

Dr. Jones wurde immer mehr in die Enge getrieben.

"Wo ist das Gegenmittel?", schrie Dr. Jekyll.

„Ich habe es nicht", sagte Dr. Jones.

„Du gibst mir jetzt dieses Gegenmittel, oder ich werde das Wesen in mir freilassen. Sobald das passiert, kann ich es nicht mehr kontrollieren ", rief Dr. Jekyll.

„Schon gut, hier ist es", sagte Dr. Jones, als er widerwillig in seine Tasche griff und es Dr. Jekyll überreichte.

Gerade als Dr. Jekyll im Begriff war, das Serum in seine Venen zu injizieren, hielt er an und verschloss das Gegenmittel wieder. Er hatte das Wesen in sich liebgewonnen. Vielleicht brauchte er das Gegenmittel doch nicht? Dr. Jekyll fühlte, wie sich das Tier in ihm beruhigte, als er vor sich hinmurmelte: "Es ist okay, Mr. Hyde. Von jetzt an kannst du bei mir bleiben, aber wir müssen zusammenarbeiten."

Was Sie anbelangt, Dr. Jones, mein ehemaliger Assistent George ist gerade bei der Polizei. Ich bin sicher, dass sie sich in Kürze mit uns in Verbindung setzen werden", sagte Dr. Jekyll, als er wegging.

Möchtest Du ein tolles kostenloses Geschenk erhalten?

Schreibe die Koordinaten auf, an denen Dr. Jekyll das Gegenmittel gefunden hat, und du kannst ein Überraschungsgeschenk erhalten. Bitte gehe auf https://www.westsuffolkcbt.net/product/jekyll/ und benutze die Quadrate auf deiner Karte als Passwort. Die Koordinaten müssen zuerst den Anfangsbuchstaben als Großbuchstaben haben, gefolgt von der Zahl, z. B. L11. Wenn die falschen Koordinaten eingegeben werden, wird die Webseite nicht geöffnet.

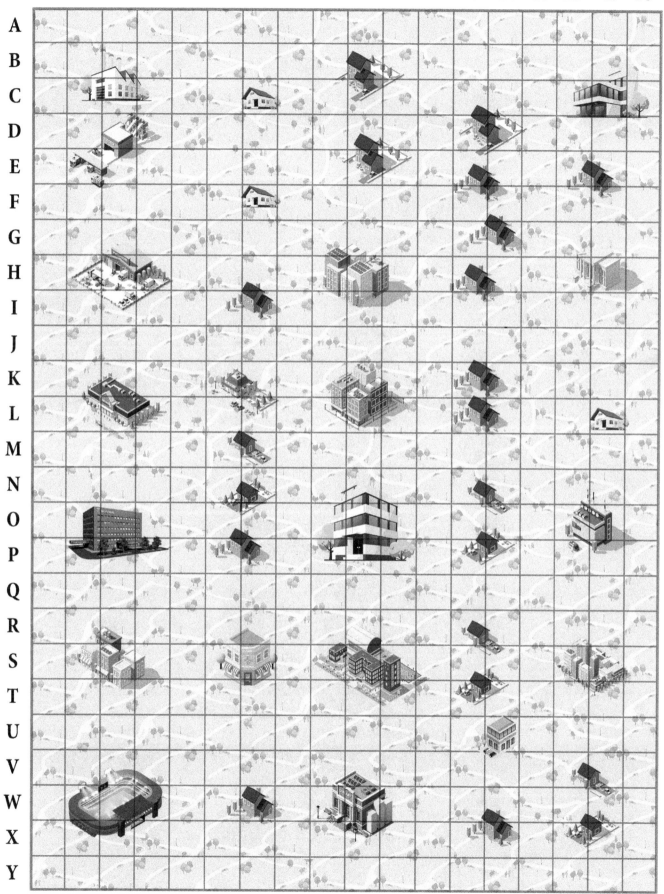